KB171654

하고잡이가 사는 법

핑크금요일

저자소개

핑크금요일

금요일은 핑크빛처럼 늘 설렌다
한국방송통신대학 국문학에 재학 중이며,
네이버 블로그 [핑크금요일 책방]을
운영하고 있다

하고잡이

저자 핑크금요일

하고잡이 :

뭐든 하고 싶어 하고 일을 만들어서 하는
일 욕심이 많은 사람.
영어로 '워커홀릭(workaholic)', 한자말로 '일 중독자'를
갈음할 우리말.

- 네이버 어학사전 -

- prologue -

"해보고 안 되면 말지 뭐. 내인데 안 맞다 싶으면 바로 그만두면 되고, 맞다 싶으면 쭉 나가 보는 거지. 인생 뭐 있나. 일단 해봐야 알지. 해보지도 않고 우째 아노?"

나는 뭐든 하고 싶어 하는 하고잡이다.

관심이 생기면 일단 지르고 본다. 일단 해봐야 이 일이 재미있는지, 재미없는지 알 수 있다. 그래서 주위 사람들은 나에게 추진력 하나는 최고라고 엄지를 치켜세워준다.

4시 40분.
첫 번째 알람이 울린다. 바로 일어나는 법은 없다. 비몽사몽일 수 있는 시간이 필요하다.
5시 정각.
두 번째 알람이 울리면 바로 핸드폰을 켠다. 네모난 화면 너머로 밤새 내가 잠들어 있는 동안 일어난, 세상 이야기를 구경한다. 나와 아무 상관없는 이야기이지만, 그게 세상 가장 재미있다. 세상 구경이 끝나면 이제, 다른 사람과 아무 상관없는 더 재미있는 내 삶을 시작한다.

차례

시작합니다

서글픈 인생은
"할 수 있었는데."
"할 뻔 했는데"
"해야 했는데."
라는 세 마디로 요약된다.

- 루이스 E. 분 -

1. 하고잡이가 된 이유

"어머니~ 학교 가기 전에 연산은 잡아 줘야 해요.
지금 이 정도도 못하면 학교에서 따라가기 힘들어요. 이제 초등 입학까지 반년 남았으니까, 일주일에 최소 두 번 수업하고 하루에 학습지 5장은 풀어야 연산은 그나마 따라가요."

첫째 7살 가을, 학습지 센터에서 들은 이야기이다. 저 말을 듣고 마음이 조급해졌다. 그때부터 우리 첫째는 연산 숙제와 싸움을 시작했다.

저녁 8시.
연산 숙제를 시작하고 첫째는 힘들어서 그만 울어버린다. 그 모습을 앞에서 보고 있는 나는 속이 터진다.
'고작 한 자릿수 더하기 뭐가 그렇게 힘들다고.'

그때는 몰랐다. 그 정도는 쉽게 할 수 있을 것 같았던 숙제는 아이 기준이 아닌 내 기준이라는 것을.

첫째 아이의 사교육은 4살 가을부터 시작됐다. 새로운 어린이집 적응 기간이 1주 차 1시간, 2주 차 2시간, 3주 차 2시간에서 2시간 30분, 서서히 진행되었다. 짧은 시간 아이를 등원시키고, 어린이집 근처에서 대기해야 했던 엄마들은 삼삼오오 모이기 시작했다. 만나면 아이 교육 이야기로 시작해서 교육 이야기로 끝이 난다. 매일 그런 패턴으로 이어지는 교육 이야기에 첫째의 사교육은 4살부터 물 흐르듯 자연스럽게 시작되었다. 키즈 발레를 시작으로 미술, 영어는 기본이다. 창의 수업, 축구, 바이올린, 동요, 하다못해 레고 수업도 들었다. 하나가 두 개가 되고 두 개가 여러 개가 되는 데까지 시간은 얼마 걸리지 않았다.
'저건 다 노는 거니까 괜찮아.'

그렇게 2년 반이라는 시간이 지나갔고 첫째는 어느덧 6살이 되었다.

그리고 듣지도, 보지도 못했던 코로나19.
2019년 11월, 처음 발견된 코로나19는 사라지지 않고 해를 넘겼고, 2020년에는 멈추는 법을 잊은 듯 퍼져나갔다.
2020년 2월, 어느 종교의 집단감염으로 코로나 발생자가 가장 많아졌던 대구에는 적막함이 도시를 감싸고 있었고, 우리는 바깥 생활과 격리되어 집안에 갇히게 되었다. 6개월 간 모든 일상은 멈추어버렸다. 첫째 아이의 사교육도.

그렇게 흐지부지하게 6개월이 지났다. 그해 가을이 되어서 아이들은 다시 어린이집에 갈 수 있었다.

"현이 엄마, 초등학교 들어가면 연산이 제일 중요하데이~ 지금 연산을 잡아놔야 수학을 쉽게 따라갈 수 있다. 우리 첫째 봐라~ 다른 건 다 잘하는데 연산이 조금 부족해서 지금 얼마나 열심히 한다고. 니도 우리 첫째가 가는 학습지 센터 한 번 같이 가보자. 니 이래갖고 현이 나중에 수학 따라가기 힘들데이."

6개월 만에 간 어린이집 주차장에서 친한 언니가 수학이 고민이라는 나의 말에, 저렇게 답해주었다. 언니의 첫째가 영재교육원에 다니고 있어 언니 말이 무작정 신뢰가 갔다. 그렇게 학습지 센터의 상담을 받고 멈추었던 반년의 공백 재빨리 채워야 하겠다는 급한 마음에, 기존에 하던 수업에서 주 2회 연산 수업을 더 했다.

겉으로 티는 내지 않았지만, 우리 아이는 남들보다 좀 더 잘했으면 좋겠고 최고가 되었으면 하는 나의 욕망이, 마음 깊은 곳에서 쉴 새 없이 소리친다.

정작 가장 중요한 아이의 마음은 뒤로 한 채,

'이게 다 너를 위한 거야'
라는 자기합리화로 내 욕심의 그릇을 채워나갔다. 자기합리화에 사로잡힌 엄마의 욕심에 날마다 울고불고하던 아이는, 그렇게 초등학교에 입학했다.

2021년 3월, 첫째는 같은 어린이집 친구는 한 명도 없는 초등학교에 입학했다. 첫째도 나도, 배정받은 초등학교에는 아는 사람이 없었다. 초등학교가 모두 달라져 뿔뿔이 흩어지게 된 엄마들 모임도 점차 뜸해졌다.

입학 후에도 첫째의 사교육은 변함이 없었고, 만날 엄마들이 없어진 나는 갑자기 오전에 할 일이 없어졌다.

아이들을 등교, 등원시키고 멍하니 집에 있는 문득,
'첫째에게 사춘기가 오면 우리의 관계는 어떻게 되지? 매일 울고불고 화내고 달래기를 반복하는데. 우리 사이는 괜찮을까.'
걱정이 꼬리에 꼬리를 물었다. 첫째의 사춘기가 시작될

때쯤 나는 갱년기가 왔으면 좋겠다는 생각이 든다. 갱년기가 사춘기를 이긴다고 하니, 같이 맞물리면 우리는 함께 그 시기를 극복할 수 있지 않을까.

그러던 어느 날, 학부모를 대상으로 도서관에서 열리는 하브루타 수업을 발견했다. 당시에는 어떻게 도서관 사이트를 들어갈 볼 생각을 했는지, 어떤 방법으로 신청했는지는 기억에 없다. 도서관이 우리 집 근처도 아니고, 차를 타고 15분은 가야 하는 거리다.

사십 평생을 살면서 도서관에 가본 건 대학생 때가 전부다. 졸업을 앞두고 꼭 패스해야만 하는 시험이 있어 친구와 함께 시험 공부하러 간, 3개월이 전부다.

독서도 별반 다르지 않다. 책은 초등학교 때 필독서였던 [아홉 살 인생]이 내용도 아닌 제목만 생각날 뿐이다. 책이라는 것은 까만 건 글자요, 하얀 건 종이일 정도로 도서관과 나는 내외하던 사이였다.
하지만 분명한 건, 어떻게 신청했는지 기억조차 나지 않는 도서관 수업이 내 인생과 우리 첫째의 인생을 바꾼 것만은 확실하다. '하브루타'라는 단어도 수업 첫 시간에 알았다.

봄바람이 살랑 부는 3월 중순의 화요일,
첫 수업이 시작되었다.

나만 모르는 것 같다. '하브루타'가 뭐 하는 건지.
수강생 중에는 강사 선생님을 알고 온 사람도 많다. 나만 모르고 다 아는 것 같다.

선생님께서는 첫 수업에서 김재홍 작가의 그림책 <동강의 아이들>을 읽어주셨다. 동생 순이와 오빠 동이가 동강에 놀면서 장에 간 엄마를 기다리는 내용의 <동강의 아이들>을 보면서 나는 그만 주책맞게 울어버렸다.
엄마를 기다리는 동이와 순이가 짠해서? 내 아이가 생각나서? 왜 울었는지는 기억나지 않지만, 그림책에 빠지게 된 아주 소중한 날이다. 일주일을 수업이 있는 화요일만 기다리며 하루를 보내기도 했다.
그러던 어느 날,

"학원은 언제든 우리를 기다려주는 곳이에요. 하지만 아이는 마냥 우리를 기다려주지 않지요. 일단 멈춰보고 안 되겠다 싶으면 다시 가도 되는 게 학원이에요. 아직 어리잖아요. 이제 1학년인데요."

같이 수업을 듣던 수강생 한 분이 나에게 해 준 말이다. 이분은 삼 형제를 학원 한 번 안 보내고 영재교육원까지 보냈다고 한다. 강사 선생님과도 잘 아는 그 분의 사적 이야기가 강의 중에 잠시 흘러나와, 강의를 마치자마자 달려가 물어보았다.

"학원을 안 보내면 불안하지 않나요?"

라는 나의 질문에 저렇게 답을 해주셨다. 누가 내 뒤통수를 축구공처럼 뻥 차는 것 같았다. 차 안에 앉아 바로 신랑에게 전화해 오늘의 이야기를 자세하게 떠들어댔다.

그리고 결심했다.

첫째의 모든 사교육을 끊기로,
우리 아이는 우리가 책임져보는 걸로 신랑과 결의를 다졌다.

그때부터다. 내가 하고잡이가 된 것은

하고잡이 4년 차,

첫째는 자기 인생을,
나는 내 인생을,
각자의 다른 인생을
우리는 스스로 책임지고,
노력하기로 한다.

"자신을 알면 모든 일에 있어 현명한 일이다.

작품은 개인의 뿌리에서 피는 꽃이다."

- 이태준(1993), 무서록,, 범우, p65-

2. 내가 감히 이태준처럼?

그럼에도 내 꿈은 늘 쓰는 사람이다.

이태준은 1904년 태어나 일제강점기 시대를 관통하는 삶을 살았다. 1946년 월북했고, 1969년 이후의 소식은 알 수 없다. 소설가로, 근현대사에 나오는 인물이다.

글을 쓴다는 건 늘, 언제나, 항상 어렵다. 하다못해 아이의 가정생활 조사표를 쓰는 것도 그렇다. 일단 쓰려고 앉으면 멍해진다. 첫 문장을 어떤 말로 채워야 할지 고민만 하다 30분은 그냥 흘러간다. 쓰기 전에는 머릿속에 마구 떠다니는 말들이 쓰려는 순간, 어느새 기억나지 않고 안드로메다로 사라져 버린다.

<무서록>은 이태준이 20대였던 1930년대에 발표한 수필, 문학론, 기행론 등을 묶은 산문집이다.
'무서록'이란 순서, 질서가 없는 글이란 뜻으로, 글의 배열이 자유롭고 순서 역시 분류하지 않았다. 그래서 앞의 내용을 몰라도 뒷부분을 읽어내는데 전혀 불편함이 없다.

처음에는 가볍게 읽기 좋았고, 재독했을 때는 이태준이 사물을 바라보는 시선에 감탄을 연발했고, 삼독했을 때 나도 이태준처럼 글을 쓰고 싶다는 소망이 생겼다.

그때부터 글쓰기가 하고잡이 삶의 동반자가 되기를 소망한다.

하고잡이가 되어 그림책을 읽다보니 역사책에 눈을 뜨게 되었고, 역사책을 읽다보니 인문학이 보였다. 애주가들이 주종을 가리지 않듯, 어느새 나는 책의 주종을 가리지 않는 사람이 되어 있었다.

무작정 읽다보니 저 깊은 곳 어디에 숨어 있었는지도 몰랐던 글을 쓰고 싶은 나의 욕망이 존재감을 드러내기 시작했다. 서서히 존재감을 드러낸 욕망은 하루가 다르게 커져 자신의 욕심을 채우려 든다.

아무런 준비 없이, 그저 욕망이 시키는 대로 글을 쓰려니 너무 어렵다. 글을 쓰려고 마음먹고 자리에 앉으면 막막함이 밀려온다. 쓰고 싶은 것은 머리에 둥둥 떠다니는데, 글로 내 머릿속의 무언가를 표현하자니 도통 어려운 게 아니다.

'글을 쓴다'는 것은 항상 육하원칙을 바탕으로 형식에 맞게 써야 할 것 같고, 개요를 짜서 순서에 맞게 써야 한다는 고정관념이 있다. 그 고정관념이 글을 쓰려고 하는 나를 막막하게 한다. 그 막막함을 깨준 사람이 바로, 이태준이다.

지금으로부터 100년 전에 살았던 그가 자연, 지구, 사물들을 사유하는 글을 보고 있으면, 지금 동시대를 살아가는 사람이 바로 옆에서 이야기 해주는 것 같은 착각을 불러일으킨다.

"글에 질서가 어디 있어? 너의 마음을 표현할 수 있으면 되지. 이상(李箱)도 그렇고 김유정(金裕貞)도 그랬어. 모두 자신의 뿌리에서 나오는 글을 쓰고 있고, 자신의 체질에 맞는 글을 쓰고 있는 거야. 그냥 가볍게 생각하고 써."
라는 목소리가 어디선가 들려오는 것 같았다.
그때 느꼈다.
내가 지금 이태준이랑 대화를 하고 있나? 이게 사람들이 말하는 책과 대화를 한다는 그건가?

그때부터 책에 나오는 인물과 대화하고 있는 나를 발견했다. 어느 책에서 본, 시를 쓰려고 하면 자연이 먼저 말을 걸어온다는 저자의 문장이 뇌리를 스쳐 지나갔다. 그 문장을 읽고서는 자연과도 대화를 시도해 보기도 했다.

꽃, 나무 등 자연물을 보고,

'꽃아, 너는 나에게 어떤 말이 해주고 싶니?',
'그래서 나무야, 지금 니가 내인데 해주고 싶은 말은 뭐야?'
라며 내가 자연에게 말을 건넸다. 그런데 자연은 내게 아무런 답도 주지 않았다.

<무서록>을 몇 번 읽고 나서 깨달았다.
자연이 나에게 말을 거는 것이 아니라 자연을 사유하는 나의 마음이 달라지면 그때, 자연이 나에게 먼저 말을 걸어오리라는 것을.

아직까지도 나는 자연과 대화를 트지 못했다. 하지만 이태준과의 대화로 글을 쓰는 행위는 조금 쉬워졌다.
두서는 없어도 온전한 마음을 글로 나타내고 있는 지금, 어쩌면 하고잡이 삶의 막바지에는 '나도 이태준처럼 멋진 글을 쓰는 사람이 되어 있지 않을까' 하는 가슴이 저릿한 상상을 해본다.

당당하다는 건, 고개를 들고
"내가 만든 쿠키는 정말 맛있어."
하고 말하는 거야.

- 에이미 크루즈 로젠탈(2008), 쿠키 한 입의 인생 수업, 책읽는곰

3. 그림책에 빠지는 순간

2017년 뉴욕 타임스지에 난소암 말기의 미국 작가가 자신이 죽고 난 뒤 살아갈 남편을 소개하는 글이 게재되었다. 남편과의 러브스토리와 자신이 죽고 난 뒤, 혼자가 될 남편이 외롭지 않도록 남편의 공개 구혼 글을 유머러스하게 남긴 것이다. 그리고 작가는 2017년 난소암으로 세상을 떠나고 말았다. 그 미국 작가의 이름이 바로 에이미 크루즈 로젠탈이다.

[쿠키 한 입의 인생 수업]은 쿠키를 나누는 과정을 다루면서 인생에 필요한 말들을 해주는 에이미 크루즈 로젠탈이

쓰고, 제인 다이어가 그린 그림책이다.

쿠키 포장지 그림의 면지를 시작으로 책 속에 들어가면 소녀가 쿠키를 만들고 나누는 과정을 이야기한다. 밀가루 반죽을 하면서 서로 돕는다는 것, 쿠키가 맛있게 구워질 때까지 기다리는 것, 쿠키를 아무리 잘 구웠어도 동네방네 자랑하지 않는 행동이 겸손한 것이라고 말한다.

아이들과 함께 책을 읽을 때는, 나오는 페이지마다 아이들의 경험담과 생각하는 것들이 쏟아져 나온다. 그럴 때면 그림책 한 권 읽는데 한 시간이 넘게 걸린다. 다음에 다시 날을 정해 아이들과 함께 쿠키를 직접 만들면서 독후활동을 해본다. 그림책을 통해 표정이 밝아지고, 생각과 말이 많아지는 아이들을 보고 있노라면 신이 나고, 뭉클한 무언가가 저 밑에서부터 올라온다.

같은 책을 어른들과 함께 읽을 때면 주위 공기 냄새부터 다르다. 각자가 생각하는 인생의 의미에 관한 이야기를 나누다, 빠지지 않고 늘 등장하는 에이미 크루즈 로젠탈의 개인사.

작가의 개인사로 우리의 인생 이야기는 더욱 풍성해진다. 우리가 만약 그녀였더라면, 그녀처럼 남편을 위해 공개 구혼을 할 수 있을 것인가에 대한 토론으로 한 시간을 꽉 채운다.

그리고 그녀의 남편에게 새로운 연인이 생겼다는 말을 꺼내는 순간,

"아~ 역시 먼저 죽는 사람이 손해야."
"작가님만 그리워하다 죽는 결말인 줄 알았더만!"
"산 사람은 살아야지 우짜노, 젊은 여자가 막 좋다카는데."
"남자는 다 똑같데이~"

우리는 그 순간 에이미 크루즈 로젠탈의 친구가 된다. 그녀의 친구인 것처럼 그녀를 대변하고, 그녀의 남편을 대변하며 논쟁을 이어간다. 이처럼 한 권의 그림책은 책 안의 이야기로, 때로는 책 밖의 이야기로 우리를 안타깝게 하기도 하고 공공의 적을 만들기도 한다.

하고잡이가 되고 처음으로 배우게 된 그림책의 매력은 사십 평생의 인생을 바꾸기에 충분했다. 되도록이면 플라스틱을 사용하지 않는 내가 되었고, 환경운동가만큼은 아니지만 자연을 사랑하는 마음이 가득한, 자연을 아낄 수 있는 사람이 될 수 있게 해주었다. 장애에 대한 이해, 노년에 대한 이해, 그리고 있는 그대로를 받아들일 있는 마음이 생길 수 있게 해준 것도 바로 그림책이다. 그림책을 만나지 못했다면 이룰 수 없던 것들이 참 많다.

"고맙다. 그림책아. 너 덕분에 내가 많이 성장할 수 있었고, 책의 주종을 가리지 않고 책 자체를 즐길 수 있는 하고잡이가 될 수 있었어!"

그런데 소설책에 빠지기 시작하니, 그림책이 나에게서 조금씩 멀어져가네. 그림책아, 그럼 미안하다.

경험을 현명하게 사용한다면,
어떤 일도 시간 낭비는 아니다.

- 오귀스트 르네 로댕 -

4. 하늘이 짜놓은 큰 계획

'이건 아니여! 오픈북이 오픈북이 아니여!'

하고잡이 2년 차에 접어들 즈음에 그림책지도사 수료를 마치고 다음 단계인 그림책지도사 2급을 준비하면서, 그림책이 아닌 전체 독서지도 전체를 아우를 수 있는 독서지도사 공부가 필요하다는 것을 느꼈다.

수많은 독서지도사 민간자격증 중에 인지도가 높아 보이는 한우리 독서지도사를 선택하고 공부를 시작했는데,
'아이고,' 만만치 않다.
수업은 온라인으로 4개월간 60시간 수료를 해야 하고, 코로나로 인해 오프라인이던 시험은 필기, 실기 모두 온라인으로 치러졌다.

시작할 때만 해도 온라인시험이라 아주 쉽게 합격할 수 있을 거라고 예상했다. 시험 당일, 시험은 내 예상을 처참하게 무너뜨리는 데 성공했다.

독서지도사 수업은 오프라인으로 소통하는 그림책 수업과는 달라도 너무 달랐다. 태블릿 화면 너머에 있는 선생님의 수업을 들으려면 시작 버튼만 누르면 된다. 20분 정도는 아주 열심히 할 수 있다. 그러나 어느 정도의 시간이 지나면, 스피커를 통해 들려오는 선생님의 목소리가 오른쪽 귀로 들어왔다 왼쪽 귀로 나가기 일쑤였고, 정신은 자꾸 안드로메다로 탈출을 시도한다. 탈출을 시도하는 정신을 간신히 부여잡는 게 참으로 어려웠다. 정신을 붙잡아 매달고 한 강씩 완료 해나가자, 시험 날은 눈 깜짝할 새 코 앞으로 다가왔다.

비장한 마음을 가지고 먼저 포스트잇을 준비했다. 그리고 포스트잇에 책의 군데군데 소제목을 적어 붙여두었다. 재빠른 속도로 바로 펼쳐 볼 수 있도록. 하루가 꼬박 걸리는 작업이었다. 이제 만반의 준비는 끝났다. 시험만 치면 된다.

2022년 9월 3일 토요일 오전 10시.

필기시험이 시작되었다. 주어진 한 시간, 객관식 50문제를 풀어야 한다.

"엄마야."
막상 해보니 책을 펼쳐볼 시간 따위는 없다. 지문 읽기도 급급해지는 아주 찰나의 시간이었다. 이럴 줄 알았으면 오픈북 준비한다고 소제목을 적은 포스트잇을 붙이는 꼼수를 부릴 게 아니라, 그 시간에 책을 한 번 더 읽었어야 했다.

시험도 덜 끝났는데 벌써부터 후회가 밀려오기 시작했고, 필기시험만 끝났을 뿐인데 내 영혼은 탈수기를 돌린 듯이 탈탈 털렸다.

이미 털려버린 영혼을 간신히 붙잡고 치른 실기시험의 기억은 어떻게 치렀는지도 모르게 시험이 끝남과 동시에 안드로메다로 탈출했고, 그날 아이들은 신랑에게 맡기고 나는 대자로 뻗어버렸다.

두근두근,

- 응시 결과

필기 합격
실기 합격

한 달 뒤 발표 난 한우리 독서지도사 합격 소식. 혼자서

환호를 질렀다. 결과 발표가 나는 한 달간은 안절부절못한 나날이었다. 만약 떨어진다면 두 번은 못 치겠다고 생각할 만큼 힘들었다. 사십 평생의 시험 중에 다섯 손가락 안에 꼽힐 정도로 뿌듯한 합격소식이다. 이틀간은 혼자 콧노래를 부르고 다녔다.

시간이 조금 흐른 지금, 그때를 가만히 떠올려 본다. 그 시험의 어떤 점이 나를 그렇게 힘들게 했나 곰곰이 곱씹어 보면. 지금은 큰 부담 없이 다시 치래도 칠 수 있을 것 같다. 2년 전보다 지금 더 많은 시험을 쳐봐서?, 이제 책에 대해 벼룩의 간만큼은 좀 아니까?

아니면, 이런 에피소드를 글로 쓸 수 있도록 하기 위함이었나. 정녕 그 이유인가.

역시 하늘은 나에게 큰 계획이 있으시구나!

부처님! 부처님도 저에게 큰 계획 갖고 계시죠?
이번 석가탄신일에도 잊지 않고 찾아뵙겠습니다.
그때 잘 부탁드리옵니다.

타이밍 :

주변의 상황을 보아 좋은 시기를 결정함. 또는 그 시기.

- 국립국어원 표준국어대사전 -

5. 타이밍

2024년 4월 26일 금요일
태권도 1박2일 캠프

우리 가족 모두 2주 전부터 손꼽아 기다리던 날이다. 아이들은 친구들과 함께 놀고 잘 생각에, 어른들은 친구들과 술 먹고 놀 생각에.

26일 저녁 7시부터 다음 날 아침 9시까지 신랑과 나에게 자유시간이 주어졌다. 아이들이 태어나고 저녁에 둘만의 시간이 생긴 건 처음이다. 생각만 해도 설레고 신남이 넘쳐흘렀다. 그날은 신랑 초등 친구 곗날이다. 오랜만에 신랑 친구들도 볼 수 있는 짜 맞춘 듯한 타이밍에 더 신이 났다. 당연히 우린 함께 간다.

아이들이 없는 밤은 생각만 해도 입가에 미소가 저절로 지어질 만큼 짜릿하다. 어젯밤부터 벌써 마음은 들뜬 상태를 유지하고 있다.

저녁 6시 40분. 간다, 간다.
아이들이 1박 위해 이불, 세면도구를 넣은 캐리어를 끌고 드디어 갔다. 우리는 뒤도 돌아보지 않고 바로 평화시장으로 가는 401번 버스를 탔다. 택시를 탈까, 버스를 탈까 고민할 필요도 없었다. 401번 버스가 저 멀리서 우리를 태우려고 쌩쌩 달려오는 게 보였으니까. 정말 굿 타이밍이다.

약속 장소인 똥집나이트에 가려고 평화시장 건너에서 하차했다.

"와~ 이게 얼마 만에 맡는 옆 동네 냄새고~"

소주 한 잔이 절로 생각나는 밤공기가 나를 감싸주었고, 두근대는 마음은 감추어지지 않았다. 그리고 감출 필요도 없다. 오늘은 자유부인 아닌 자유부부니까.

매번 동네에서 아이 친구 엄마들과 어울렸던 밤공기와 비교조차 불가능한 냄새다. 여름을 알리는 약간은 텁텁한 바람의 냄새가 코끝을 스치고, 아침부터 단장한 내 머리카락은 그 바람에 날려 전지현보다 예뻐 보일 것 같은 밤이다.

아이가 생긴 후 10여 년 만에 신랑과 함께 친구들을 만나러 가는 찰나와 같던 5분이 정말 너무나도 소중하게 다가왔다. 버스에서 내려 손 꼭 잡고 걸었던 200미터가 안 되는 그 길이 오랜 시간 나의 머릿속에 남으리라는 것을 나는 직감적으로 알 수 있었다.

모둠 똥집에 맥주 한잔, 찜닭에 소주 한잔 걸치며 오랜만에 만난 신랑 친구들에게도 세월은 비껴가지 못했나보다. 검은색만 가득했던 머리카락은 이제 하얀색이 군데군데 존재감을 드러내고 있었고, 세월의 희로애락을 보여주는 가느다란 주름은 눈가 옆에 자연스럽게 자리를 잡았다. 퇴직 후의 삶을 시작으로 죽음까지 이야기했는데 벌써 2시간 30분이 지났다. 시간이 번개 부스터를 단 것처럼 쌩하니 지나갔다.

2차는 아이 때문에 밖에 나올 수 없는 신랑 친구 집이다. 가는 길에 편의점에 들러 내가 좋아하는 와인도 사고, 땅콩이 붙어있는 켈리 맥주 피쳐도 사고, 5개 사면 개당 1,100원에 판매하는 구구콘도 사고, 여자아이들이 좋아하는 티니핑 젤리, 2+1하는 과자 3봉지를 센스 있게 종량제 봉투 20리터를 함께 사서 담아 갔다. 편의점에서 산 안주가 못내 아쉬워 지성 해물찜에서 해물찜도 시켰다. 거실에 6명이 옹기종기 모여 앉아 본격적으로 2차를 시작했다. 미래의 크레디에이터인 나를 위해 갤럭시 탭, 아이패드. 갤럭시 북 중 어떤 게 좋냐는 설전을 벌이고 있을 때였다.

밤 10시 55분.
아이의 전화임을 알려주는 'balance on one foot' 영어 동요가 들렸다.

"엄마, 어디야? 나 지금 토할 것 같아."
"왜? 배 아파? 엄마 지금 철수 삼촌 집이야, 집에 오고 싶어? 참을 수 있겠어?"
"아니, 못 참을 것 같아. 엄마 집에 언제 와?"

라며 전화기 너머로 아이의 울먹이는 소리가 들린다. 머리로는 어떻게든 도장에서 아이가 버텨주길 바라지만,

"그럼 엄마가 지금 택시 타고 갈게. 조금 기다릴 수 있겠어?"

라는 말이 나도 모르는 새 당연하다는 듯 튀어나온다.

"응, 당장 집에 가고 싶어. 엄마 집에 오면 전화 줘."

내가 가버리면 주인을 잃을 게 뻔한 아까운 와인 반잔을 바쁘게 털어 넣고 조금의 지체함도 없이, 재빠른 척하며 자리에서 일어섰다. 아쉬운 마음으로 신랑 친구들과 10년 뒤에 다시 만나자는 인사를 나눈 뒤 신랑은 남겨두고 혼자 택시를 탔다. 길을 건너 택시를 탈까? 여기서 바로 탈까. 이번에도 고민할 필요가 없었다. 마치 내가 택시를 타러 올 것을 안 것처럼 기다렸다는 듯 저 멀리서 나를 태우려고 급하게 달려오고 있었다.

저녁 7시의 설렘은 흔적도 없이 사라지고, 아이의 걱정으로 밤 11시가 채워졌다.
택시를 타고 가면서 걱정을 한가득 담아 아이에게 전화했다.

"현아~. 엄마 지금 택시 탔어. 좀 괜찮아? 엄마가 바로 태권도장으로 데리러 갈까?"
"엄마. 그런데 지금은 좀 괜찮아. 도장에 좀 더 있고 싶기도 해."
"그래~ 알았어. 힘들면 엄마한테 전화해. 바로 데리러 갈게."

뚝.

이런 써글.
뭐야. 이거.

나도 너네 아빠랑 오랜만에 편히 놀 수 있었던 밤이란 말이야. 편히 놀고 싶었던 날이었단 말이다.
너도 도장에서 친구들과 놀고 싶듯이 나도 너네 아빠랑 밤공기 마시며 그렇게 놀고 싶었다고.

처음 전화가 왔던 밤 10시 55분에 바로 일어나지 말고, 10분만 기다렸다가 다시 전화해 볼걸.

택시 안에서 아이와 전화를 끊는 순간 이런 후회가 파도처럼 밀려왔다.

역시 언제나 타이밍은 중요하다. 좀 더 기다렸어야 할 타이밍에 바로 일어나 왔고, 아파트 단지를 나서자마자 횡단보도의 녹색 신호등이 바뀌었고, 길을 건너자마자 이 밤에 바로 잡힌 택시의 타이밍과 내가 택시를 타자마자 괜찮아졌다는 아이의 전화까지 15분이 채 걸리지 않았다.
그리고 집으로 온 나는 화장도 지우지 않은 채, 아이의 전화를 기다리며 글을 쓴다. 화풀이할 상대가 필요하다. 아무도 없다. 노트북만이 나를 상대해줄 뿐이다.

새벽 12시 30분.
아이에게선 문자 한 통 없다.
아무래도 오늘 밤은 글을 써야 하는 타이밍이었나 보다.

그런데 여보! 여봉이 그 길이 맞다고 했잖아. 똥집나이트가 어딘지 안다매? 가면 다 있다매? 평화시장 두 바퀴나 돌았잖아! 내가 친구인데 전화해 보자 했지? 쫌!

하루의 가장 달콤한 순간은 새벽에 있다.

- 윌콕스 -

6. 동향집의 새벽

왕복 6차선 도로가 바로 보이는 8층 동향은 우리 집이다. 창문의 방향이 동쪽에 있는 집에 살고 싶어 살게 된 건 아니다. 2019년부터 청약 열풍과 가파르게 오르는 집값에 전세 구하기는 하늘의 별 따기가 되었다. 우리가 원하는 위치에 아파트를 정해두어서 더 힘들었던 것 같기도 하다. 가진 돈과 위치가 딱 좋은 아파트에 전세가 났다는 말을 듣고 집은 보지도 않고 계약금 200만 원부터 넣었다.

그렇게 계약한 창문의 방향이 동쪽인 집에 5년째 살고 있다.

사람들은 이야기한다.

“동향집은 여름에 덥고, 겨울엔 춥지?”

글쎄,
남향집에 살 때는 아침에 직장으로 나가서 밤에 들어와 씻고 자기 바빴고, 신생아를 키울 때는 아이와 고군분투하느라 남향의 따스함을 느껴볼 새가 없었다.
동향집에 사는 것도 마찬가지다.

집에서 신랑 사무실까지 5분 거리라 우리는 아이와 함께 아침 8시 일어났다. 후다닥 아침을 준비하고 10분을 걸어 아이들을 등원시킨 후, 직장으로 향한다.

우리의 동향집은 비워둔 채. 남향인 사무실에서 햇볕과는 조금 떨어져 일을 하고, 오후 4시가 되면 하원하는 아이들을 데리고 놀이터와 학원을 갔다가 6시쯤 들어오는 생활을 반복하였다.

창밖에서 들어오는 빛에 대한 생각은 전혀 필요하지 않았다.

지금은, 이따금 멍하니 창 너머 세상을 바라본다.
첫째 아이가 초등학교를 입학하고 그림책에 눈을 뜬

나는 생활패턴이 바뀌어 새벽 5시에 일어나기 시작했다. 좀 더 자고 싶은 욕구와 사투를 벌이고 나온 거실은 밤의 어둠을 간직한 채, 고요한 모습을 아무렇지 않게 하고 있다.
 물 한 잔 마시고 거실 테이블에 앉아 창밖을 내다본다. 책을 읽거나 컴퓨터 작업을 하는 한 시간 반 동안 동향집 창문 너머의 하늘은 자신의 아름다움을 보여주려 하고 있다.

 밤의 어둠이 서서히 사라지고, 창문 너머의 건너편 아파트 뒤쪽으로 새벽의 빛으로 물들기 시작한다. 6차선 도롯가에는 어둠을 밝히는 헤드라이트를 켠 채, 몇 안 되는 차들이 쌩하는 소리와 함께 빠르게 지나간다.
 도로 위의 차도, 인도에 다니는 사람도 드문 고요한 거리를 뒤로 한 채, 태양은 주위를 빨갛게 물들이며 존재감을 드러낸다.

 내가 당연하게 내 일을 하듯, 태양은 자신이 해야 할 당연한 일을 한다는 듯이.

 새벽의 고요함은 나에게 매일 같이 무심하게 툭, 선물을 던져준다. 한 가정의 일원으로서 짊어져야만 하는 필연적인 삶의 무게에서 나를 잠시 해방 시켜준다. 혼자만의 시간을 보낼 수 있는 고요함을 주어 오롯이 나만 생각할 기회를 주는 것도 동향집의 새벽이다.

나는 그렇게 매일 새벽에게 선물을 받고 있다. 물론 친구들과 술 한잔한 밤의 다음 날 새벽은 나에게 아무런 선물도 주지 않는다.

새벽이 주는 선물을 받은 나는 날마다 새롭게, 어제와는 다른 시선으로, 조금은 풍요롭게 세상을 바라보는 능력치가 아주 조금씩 생기고 있다.

잠이 들기 전 아이들의 모습보다 아침에 일어난 부스스한 아이들의 모습을 더 좋아하게 되었고, 하루에 조금씩이라도 운동을 할 수 있는 시간을 신랑에게 만들어줄 수 있었다. 신랑은 그 시간을 좋아하는 건지, 좋아하는 척해주는 건지 알 수 없지만 말이다.

새벽은 하루의 달콤함을 나에게 전해주고, 동향집은 달콤한 새벽을 온전히 즐길 수 있도록 해준다. 그래서 늘 하루하루가 새롭다.

아직까지 동향집에서 새벽이 주는 달콤함을 맛보지 못했다면, 세상 그 어떤 산해진미보다 맛있다고 강력하게 추천하고 싶다.

5월의 어느 날 아침 8시 30분.

“여봉, 밖에 덥지? 오늘 완전 더워. 여름이다. 여름”
“선풍기 꺼내야겠어.”
아이들을 학교에 데려다주고 돌아온 신랑에게 청소를 막 끝내고 말을 걸었다.

“밖에는 완전 선선한데? 니도 바람막이 정도는 입고 나가자”

아.. 우리 집은 동향이라 새벽엔 선물을 주고, 아침에는 태양이 사랑을 한가득 넘치도록 퍼주는구나.

겸손 :

남을 존중하고 자기를 내세우지 않는 태도가 있음.

- 국립국어원 표준국어대사전 -

7. 까도까도 나오는 대단한 사람들

'이 정도 삶이면 괜찮지 않아?'

좁은 생활 반경으로 주위를 둘러보아도 모두 익숙한 것들만 가득했던 그 때, 혼자 잘난 맛에 살았다.
그런데 하고잡이 인생을 살다 보니 그건 상당한 오만이었고, 착각이었다.

처음 도서관 수업을 들을 때는 모르는 게 없는 강사 선생님이 대단해 보였고, 수업을 같이 듣는 수강생들도 내가 아는 사람들과 다른 향기를 풍기고 있었다. 선생님이 어떤 그림책에 관해서 이야기하면 고개를 끄덕이는 사람이 절반은 넘었다. 나는 처음 듣는 말들인데 말이다.

새로운 모임을 가도 마찬가지다. 늘 대단해 보이는 사람 한, 두 명은 꼭 만나게 된다.

'우와, 저렇게 생각하는 사람도 있어?, 이런 걸 벌써 다 알고 있단 말이야?, 생각하는 걸 어떻게 실천하면서 바르게 살 수 있지?'

요즘 텔레비전을 켜면 나오는 시즌제 오디션프로그램만 봐도 매회 새로운 도전자가 나오고, 더 잘하는 사람이 끝도 없이 나오는 것처럼 내 주위에도 그런 일이 벌어지고 있었다. 눈만 돌리면 나오는 대단한 사람들. 어디 숨어 있다 이제야 끊임없이 내 앞에 나타나는지.

"여보, 오늘 내가 어떤 사람을 만난 줄 알아? 나 그림책 스터디를 하는 거 있잖아. 거기 선생님 한 명을 지하철에서 만났는데 그 선생님은 집 사는 건 중요하지 않대. 자기는 그런 거는 상관없대. 그런데 대학교 전공은 두 개나 했고 지금은 대학원 다녀. 나이가 오십이 넘었는데. 자기는 그런 곳에 돈 쓰는 게 정말 재미있대. 정말 대단하지 않아?"

지하철에서 우연히 함께 그림책 스터디를 하는 선생님을 만났다. 그 선생님과 짧은 시간 나누었던 이야기를 퇴근한 신랑에게, 마치 내 자랑처럼 이야기했다.

오늘은 이런 생각을 할 수 있는 사람을 알았고, 나는 그런 삶도 있다는 걸 알았다고.

“여보, 이번 글쓰기 모임은 장난 아니야. 다들 작가야 작가. 글을 한두 번 써본 사람들 같지 않아! 그리고 합평회 하잖아? 모두 전문가야 전문가.”

이번 글쓰기 모임에서 만난 9명의 예비 작가님들과 두 번째 만남 후 우리 신랑에게 했던 말이다. 글을 잘 못 쓰겠다던 분도, 어떤 주제를 써야 할지 모르겠다는 분도 2주 차가 되자 달라져서 왔다. 대체 그들에게 1주일 동안 무슨 일이 있었던 걸까.

2023년 3월, 하고잡이가 블로그의 세상을 알게 되었다. 역시나 하지 않을 수 없다. 도서관으로 달려가 블로그에 관한 책 4권을 휘리릭 읽고 난 후, 바로 ‘핑크 금요일 책방’이라는 이름을 가진 네이버 블로그를 개설했다. 개설하고 석 달 후 6월쯤부터 본격적으로 블로그에 글을 올리고 있다. 글쓰기 첫 수업을 하러 가기 전에‘나는 블로그에 글 좀 올려봤으니까, 에세이도 잘 쓸 수 있을 거야'라는 자신감이 등에 업고 첫 수업에 참석했다.

두 번째 수업 참석 후 그 자신감은 쥐도 새도 모르게 사라져 버렸고, 또 대단한 사람들을 만났다고 신랑에게 이야기하고 있는 나를 발견한다.

까도까도 계속 나오는 대단한 사람들이 늘어갈수록, 나는'겸손함'을 배운다. 다른 이를 존중하며 나를 내세우지 않고 그들의 장점을 닮으려고 노력한다면, 나도 누군가에게는 배울 점 하나 정도는 있는 사람이 되지 않을까.

뒷모습

귀가 예쁘거든 귀만 보여주시오
눈썹이 곱거든 눈썹만 보여주시오
입술이 탐스럽거든 입술만 보여주시오
하다 못해 담배가치 끼운 손가락이 멋지다면
그거라도 보여 주시오
보여 줄 것이 정히나 없거든
보여 줄 것이 생길 때까지 기다리시오
기다린 뒤에도 보여 줄 것이 없거든
뒷모습을 보여주시오
조심조심 사라져가는 그대 뒷모습을
보여주시오

- 나태주 -

8. 장점 찾는 연습

손톱이 조금만 길어도 불편하다.
내 손톱은 바짝 손톱이다. 손톱에 흰 부분이 1mm 정도 올라오면 손톱깎이가 나를 부르는 소리가 들린다.
'어서 와, 손톱 깎아야지.'
내 바짝 손톱은 나름의 이유가 있다.

20살, 대학교 1학년 때 아는 언니들과 평화시장에서 똥집에 소주 한 잔을 함께 한 적이 있다. 그 모임이 어떻게 성사되어 술을 한잔 걸쳤는지 기억조차 나지 않는다. 하지만, 이십 년도 되던 그날의 한 장면은 마치 어제와 같이 생생하게 그려진다.

그날은 원래 알고 있었던 언니, 처음 보는 아는 언니

친구, 내 친구, 나 이렇게 넷이 함께 자리했다. 철로 만든 원형 테이블 위에는 주문한 양념 반, 후라이드 반 똥집과 찜닭, 소주와 소주잔이 놓여졌다. 늘 그렇듯이 첫 잔은 모두 함께 건배했다.

그때 그날 처음 보는 언니가 소주잔을 드는데, 그 언니의 손톱이 바짝 손톱이었다. 지금까지 봐 온 손, 중에 가장 예쁜 손. 그날 밤 집으로 돌아와 씻지도 않고 손톱부터 깎았다.

그 때부터다.
내 손톱이 그 언니와 같은 바짝 손톱이 된 것은.

20년 전 순수했던 나는 다른 사람의 술잔을 드는 모습에서도 예쁜 것을 찾을 수 있는 멋진 눈을 가졌었다. 그런데 점점 나이가 들수록 무의식중에 다른 사람의 단점을 찾는 내 눈이 못났다.

좀 잘나 보이는 사람을 만나게 되면 무의식적으로,

'아마 저 사람도 나보다 못난 구석이 분명히 있겠지? 봐, 역시 저런 못난 부분이 있었어.'

겉으로는 아닌 척하며, 다른 사람의 단점을 찾아 스스

로 위안을 찾는 못난 내 모습을 발견하기도 한다.

나태주 시인의 시[뒷모습]에서 나오는 "하다못해 담배 가치 끼운 손이라고 멋지다면 그거라도 보여 주시오"를 보는 순간 내 바짝 손톱이 생각났다. 어린 시절처럼 다른 사람의 장점을 볼 수 있는 멋진 눈을 다시 찾아오라고 이야기한다.

앞모습에서 찾지 못하면 뒷모습에서도 찾아보라고. 누구에게나 장점은 있다고. 그 장점을 찾을 수 있다면 너의 멋진 눈은 스스로 어깨를 으쓱할 만큼 기분이 좋아질 거라고 나에게 속삭인다.

곰곰이 생각하며 마음속에 저 깊은 곳이 아닌, 매일 꺼내볼 수 있는 가장 앞자리에 넣어둔다.

"언니 오늘따라 좀 예쁜데요?"
"왜~ 또 니 먹고 싶은데?"
같이 일하던 언니가 그날따라 특별히 더 예뻐 보여서 진심을 담아 한마디 했는데, 뭐 먹고 싶냐고 물어온다.

'역시 저 언니는 눈치가 빨라.'

"삶의 지혜는 종종 듣는 데서 비롯되고 삶의 후회는 대게 말하는 데서 비롯된다."

- 이기주(2017), 말의 품격, 황소북스 ,p18 -

9. 후회 없는 말

나에게 세상에서 가장 어려운 게 뭐냐고 묻는다면, 망설임 없이 '말하기'라고 자신 있게 말할 수 있다. 일상에서 그냥 던지고 있는 말 중에서, 시간이 지나도 후회하지 않는 그런 말.

나는 말이 많다. 침묵의 시간을 견디는 데 익숙하지 않고, 침묵의 어색함이 싫다. 그래서 생각의 거름망을 거치지 않고 막 나오는 말도 많다. 그래서 말을 하고 난 뒤 집에 와서 내뱉은 말을 곰곰이 생각하며 후회하는 일도 수백 번, 수천 번이다. 물론 아주 가끔은 우연히 생각의 거름망을 거쳐 근사한 말이 나올 때도 있긴 하겠다. 손에 꼽을 정도지만.

늘 그렇듯 도서관에서 우연히 발견한 이기주 작가의 [말의 품격]은 이틀 동안 내 눈앞에 두었다. 시간이 날 때마다, 일부로 시간을 내어 읽으면서 되뇌고, 또 되뇌어본다.

'침묵해 보자. 침묵의 시간을 견뎌보자. 내가 하는 말들이 후회로 돌아오지 않도록.'

다짐했다. 그리고 또 다짐했다. 매일 아침 밖으로 나가며 이 다짐을 또 되새겼다.

실패했다. 그리고 또 실패했다. 매일 아침 한 다짐이 무색하게 매번 침묵의 시간을 견디지 못해 실패하고 집으로 돌아온다.
그때 또 기다렸다는 듯 깨달음이 다가온다.

'다짐을 아무리 해도 실천하기는 너무 어렵다.'

일단 입에서 나가는 말들은 붙잡을 수가 없었고, 오전에서 오후로 바뀌면서 아침의 다짐은 나도 모르는 새 저 멀리 달아나 버리고 만다.

지인 중의 한 명은 정말 듣기만 한다. 자신은 말주변이 없어서 말을 하는 것보다 듣는 게 훨씬 더 편하고 좋다고.

'저토록 말이 없으면 불편하지 않을까? 어떻게 말을 하는 것보다 듣는 게 더 좋을 수 있지?'

처음에는 답답하다고 느껴지던 그녀의 태도는 점점 대단하게 다가왔다. 지나고 보니 그녀의 말에는 실수가 없었고, 공감만 남았기 때문이다.

"맞아요. 나도 그럴 것 같아요."

그녀는 들어주기만 했으나 우리의 대화는 어색하지 않았고, 시간이 지난 뒤 '그때 왜 그 말을 했을까'라는 후회도 없었다. 그녀의 대화 속에 드문드문 존재감을 드러내는 침묵은 편안했던 것 같기도 하다. 그런 그녀가 많이 부러웠다. 자꾸 나도 모르게 새어 나오는 나오는 말과 고군분투하지 않아도 되니까.

이렇듯 '말'이 나는 엄청 어렵다. 말을 하지 않는 것도, 후회되지 않는 말을 하는 것도. 그리고 실수하지 않길 바라는 침묵은 더 어렵다.

그럼에도 나는 늘 마음속에 간직한다.

'침묵하는 사람이 되어야지.'

실천하기는 아주 많이 힘들지만, 정말 한 번씩 꺼내서 실천해야지라고 다짐도 해본다. 침묵하기에서는 늘 실패자가 되지만, 그 또한 괜찮다고 위로해야지.

생각한 대로만 되면 세상 사는 게 무슨 재미가 있겠노.
절대 실천하기 힘들어서 괜찮다고 위로는 하는 것은 아니다.

"다른 사람을 부러워하는 순간, 내 인생은 불행해진다."

- 지인 -

10. 인스타그램 - 1

“여보, 그 친구는 진짜 잘 사나 봐. 일본을 한 달에 한 번은 가는 것 같아. 그리고 이제 캠핑카를 아예 사서 캠핑 다니더라.”

5년 전 첫 인스타그램 계정을 만들었다. 만들자마자 보이는 대학 친구의 피드, 나보다 조금 더 일찍 결혼한 그녀는 빠르게 자리를 잡았다. 그녀의 인스타그램에는 여행 사진, 백화점에서 산 가방 사진 등 잘살고 있음을 나타내는 장면들로 가득했다. 계정을 만든 지 3일째, 나는 인스타그램 계정을 스스로 탈퇴했다.

인스타그램에서 보이는 행복한 타인의 삶은 언제나 부럽다. 핸드폰 화면 전체를 메우는 사진 한 장에 부러움이 지나쳐 넘칠 때가 있다. 한 장의 사진이 나의 하루를 우울하게 만든다. 누가 나한테 뭐라고 한 것도 아니고, 단지 사진 몇 장 넘겨봤을 뿐인데 그들처럼 살지 못하는 내가 미워 보인다.

핸드폰 넘어 그들의 보이지 않는 일상과 삶은 알려고 하지도 않고, 알지도 못한 채 마냥 부러워했다.

결혼하고 3~4년 됐을 때쯤 시댁에서 어머님, 큰아주버님, 신랑과 술자리를 가진 적이 있다. 무슨 말을 하다가 나왔는지 모를 큰 아주버님의 한 마디가 부러움의 대상이 생길 때마다 나는 늘 떠올린다.

'남을 부러워하는 순간, 내 인생은 불행해진다.'

아주버님이 해준 그날의 그 한마디가 내 마음속 깊은 곳에 들어와 박힌 채 아직 나가지 않고, 나와 잘 지내고 있다.
내가 불행해지지 않도록 부러운 마음이 들 때마다 떠올리면서 나의 부러움이 어디에도 새어 나오지 못하도록 단속한다.

그 말 덕분에 인스타그램의 계정도 쉽게 탈퇴할 수 있었다. 안 보면 되니까.

내가 굳이 그들의 삶을 알 필요는 없으니까.
"우리는 아이 셋 다 공장에서 아기 침대에 눕혀 놓고 키웠잖아. 사람 쓸려니까 돈 아깝고 둘이 하면 더 벌 수 있으니까. 니 몰라서 그렇지 그때 진짜 힘들더라."

한때 나의 부러움의 대상이었던 대학 친구는 인스타그램에 사진은 그렇게 올렸지만, 정말 힘든 시기였다는 말을 핸드폰 스피커를 통해 이야기한다.

그 친구는 지금 은행 VIP룸에서 업무를 보고 은행 지점장이 따로 선물을 줄 정도로 잘 산다. 내가 인스타그램을 처음 시작했을 때보다 그 친구는 훨씬 더 잘살고 있다.

하지만 이제는 그 친구가 부럽지 않다 오히려 대단해 보인다는 말이 맞을 것이다. 왜냐하면 나는 그 친구처럼 아이를 키우며 그렇게 치열하게 살지 않았다.
그리고 그렇게 할 자신도 없다.
신랑이 매달 벌어주는 월급으로 우리 아이에게 온 마음을 다해 집중했고, 가족들과 안온하게 지냈다.

같은 시간을 각자 다르게 보낸, 시간의 값어치가 다르기 때문에 우리가 사는 삶의 모습 또한 모두 제각각일 수밖에 없다. 시간의 값어치가 다른데 나보다 나아 보이는 사람을 겉모습만 보고 판단해서 부러워하고, 시기 질투를 한다면 그것만큼 바보 같은 일이 어디에 있을까.

그 친구가 지금은 더 잘 살아가고 있는 모습이 멋지고 그렇게 치열하게 열심히 산 친구가 내 친구라는 게 자랑스럽다.

그러니까 다음에 만날 땐 니가 맛있는 거 사줘.
그리고 마음이 단단해진 나는 다시 인스타그램을 한다.

마음아 천천히
천천히 걸어라.
내 영혼이 길을 잃지 않도록

-박노해(2021), 걷는 독서, 느린걸음, 본문 중에서-

11. 인스타그램-2

한 번씩 덜컥 겁이 날 때가 있다. 생각보다 마음이 앞서갈 때, 너무 앞선 마음에 감당이 되지 않을 때. 누군가가 나에게 브레이크를 걸어줬으면 하는 때에 박노해 시인의 [걷는 독서]를 알았다.

마음에 큰 울림을 준 이 글귀를 연습장에 한 번, 예쁜 종이에 한 번, 글씨 연습하듯이 열댓 번 적어본다.

그리고 내가 아끼는 다이어리 첫 표지에 꾹꾹 눌러쓴다. 언제든 쳐다보고 내 마음을 다스릴 수 있도록, 내 마음이 영혼을 잃어버려 방황하는 일이 없도록, 브레이크 고장으로 멈춰야 할 때 멈추지 못하는 일이 결코 생기지 않도록.

아무 종이에, 외워버린 이 글귀를 적다 보면 마음은 스스로 차분해진다. 결코 앞선 마음이 내 영혼을 잠식하는 일은 일어나지 않을 거라는 믿음과 함께.

할 일 없을 때 한 번씩 마주하는 인스타그램의 짧은 영상 속에 등장하는 주부들은 모두 한결같다. 엄마표로 아이들 공부를 아주 잘 시키고, 정말 깨끗하게 정돈된 하얀 집에서 살며, 예쁜 앞치마를 하고 요리까지 잘하는 완벽한 주부들 모습이 대부분이다.

그리고 빠르게 올라가는 릴스에는, 젊은이들도 나와 비슷해 보이는 주부들도 모두 성공한 모습들로 가득 차 있다. 그런 영상을 생각 없이 보다 보면 마음이 또 조급해진다.

저 영상 속의 사람들은 자신의 분야에서 성공한 모습이 부러워 나도 저렇게 살 수 있도록 노력해야지라는 마음으로 가득 차고, 마음속 깊은 곳에 넣어둔 모든 열정들이 한 번에 쏟아져 나오려고 아우성친다.

영상 속에 나오는 사람들의 일상적인 삶은 알지 못한 채, 10초 내외의 영상만 보고 자라는 부러움과 싸움을 시작한다. 치열한 싸움에서 이기면 그때야 인스타그램을 종료하고 나의 현실로 돌아온다.

나와는 상관없는 그들의 삶은 내버려두고, 내 인생이나 천천히 걸어가 보자고.

처음에는 부러움과의 싸움에서 늘 졌다. 부러워하기에 바빴고, 릴스의 공간에서 빠져 헤어 나오기 힘들었다. 그런데 싸움도 계속하다 보니 느는지, 지금은 잘 싸우지도 않는다. 왜냐하면 나에게는 아주 근사한 브레이크라는 무기가 생겼기 때문이다.

박노해 시인이 나에게 해주는
'마음이 영혼을 잃지 않도록 천천히 걸으라'
는 브레이크.

브레이크가 생긴 후부터는 릴스가 시시해지고 재미없어졌다.
사람 사는 게 다 똑같지. 별다른 인생이 있나. 나는 그들의 인생을 다 알지 못하고, 그들은 내 인생을 다 알지 못하니, 제일 잘 아는 내 인생이나 천천히 걸어가며 즐겨야지. 좋으면 좋은 대로, 안 좋을 땐 언제나 좋기만 하면 그게 인생이냐고 시비 걸어가며 살아야지.

그런데 어떻게 다들 그렇게 성공할 수 있었는지, 무료로 비법 전수 좀 부탁하고 싶다.

일촉즉발 :

한 번 건드리기만 해도 폭발할 것 같이 몹시 위급한 상태.

- 국립국어원 표준국어대사전 -

12. 일촉즉발

어린이날을 핑계로 고령 대가야 테마파크 안에 있는 연립동에 숙소를 잡았다. 한 달 전에 딱 하나 남은 연립동 4인실에 예약을 하고, 떠나기 하루 전에 어머님과 큰아주버님은 캠핑 데크를 빌려 함께 하기로 했다.

나는 여행을 정말 좋아한다. (정확히는 집 밖에서 자는 걸 좋아한다고 어머님께서 말씀하셨다) 그래서 어떤 핑계를 갖다 붙여서라도 집 밖에서 자려고 노력한다.

1박 2일 국내 여행은 짐도 아침에 후다닥 싸면 된다. 1박 2일 여행은 주로 주말에 가니까 금요일은 불타오르게 보내고, 토요일 아침에 후다닥 짐 싸서 부담 없이 떠나면 딱이다.

이번 어린이날을 맞아 계획한 여행도 짐을 싸기 전에는 아무 문제가 없었다. 일찍 일어나 할 일 해 놓고 씻고, 짐을 싸려고 우리 집 창고로 불리는 안방 베란다 문을 열었다.

안방 베란다에는 언젠간 봐야지 하고 짱 박아둔 책, 첫째가 10여 년간 사다 모은 인형들, 여행 도구, 곧 한 살이 되어 가는 조카에게 물려 줄 물건들이 질서 없이 어지럽게 쌓여있다.
'어차피 이사 갈 건데 그때 한 번에 정리하자'
라는 생각으로 정리하지 않고 버티고 있는 공간이다.

늘 그렇듯 우리 집 여행 짐은 내가 싼다. 안방 베란다에 가서 아무렇지 않게 캐리어를 꺼내고 짐들에 눌려 빽빽해진 문을 아무도 모르게 힘을 줘서 닫아놓았다.

"올 때 너희 식구 앉을 캠핑 의자랑 테이블은 챙겨와. 나는 엄마 거랑 두 개만 들고 갈게."

큰아주버님과 신랑의 짧은 통화. 캠핑 의자를 꺼내기 위해 또다시 아무렇지 않게 안방 베란다 문을, 아무도 모르게 힘을 줘서 열었다. 필요한 캠핑 도구를 꺼내 신랑에게 전달해 줄 때만 해도 우리는 평온했다. 그리고 빽빽해진 문을 신랑이 닿으려고 있을 때다. 갑자기 신랑이 말을 건넨다.

"여기 정리 좀 해야겠다. 여기 있는 책 보나?"
"아니, 지금은 잘 안 보는데? 이사 갈 때 같이 정리하지 뭐."
"책만 빼자. 문이 잘 안 닫기니까."

우리 신랑의 얼굴을 슬쩍 보니 표정이 점점 굳기 시작한다. 그냥 봐도 150권은 넘을 것 같다.

"내가 책을 꺼낼 테니까 니가 받아서 놔주기만 해라."
"그러니까 어디에 놔두라고?"
"안방에."
"이걸 왜 안방에 놔두는데? 밖으로 빼놔야지."

내 대답을 끝으로 우리 신랑은 답이 없다. 표정은 이미 돌처럼 딱딱하게 굳은 채로 혼자 책을 꺼내 안방 가운데 쌓고 있다. 그 모습을 1분 정도 노려보았다.

'같이 화를 내? 말아?'

일촉즉발의 시간이 왔다. 내가 한 마디 더 하면 돌이 깨져서 금방 싸움이 일어날 것 같은 싸해지는 분위기.

“알았어, 알았어. 내가 하께. 표정 풀어. 오냐오냐.”

일촉즉발의 시간을 참았다. 나 스스로가 정말 대단해지는 순간이다. 11년간의 결혼생활로 다져진 내공으로 가까스로 참았다.

신혼 때부터 친정엄마가 해 주시던

“안 살 꺼 아이면 싸워서 뭐하노? 화낸다고 내일이 안 오는 것도 아이고.”

라는 말이 귀에 박혀서일까.
엉덩이를 통통 쳐주면서 신랑의 기분을 풀어주려 노력했다.

그리고 우리는 사이좋게 안방 베란다에 있는 책을 모두 분리수거장으로 힘을 합쳐 내려놓았고, 햄버거를 사 먹으면서 여행을 떠날 수 있었다.

“여보, 나 멋지지? 그 순간을 내가 또 참았다아이가? 역시 나는 대단해. 그 순간을 우째 참았겠어? 내니까 참는기야”
라는 말을 하루 종일 신랑 옆에서 조잘거렸다.

이렇게 오늘도 나의 자존감이 +1 상승하는구나.

순간에 이름을 붙여주고, 의미를 불어넣으면 모든 순간이
나에게 다가와 내 인생의 꽃이 되어줄 겁니다.

- 박웅현(2013), 여덟 단어, 북하우스, p172 -

13. 박웅현저자 북토크

2022년 11월 12일 토요일 오후 2시.
예스24 반월당점
[문장과 순간]의 박웅현 저자 북토크

41년을 살면서 북토크는 처음이다.
식당에서 혼자 밥도 못 먹는 내가 박웅현 저자의 북토크를 혼자 신청하고, 혼자 다녀왔다.

우리 집에서 도보 5분 거리의 예스24 반월당점에 가려고 아침 일찍부터 아이들은 친정에 데려다 놓고 준비를 시작했다.

오후 1시 40분쯤 출발해서 도착한 예스24 2층에는

조금 더 일찍 온 사람들이 먼저 자리 잡고 있었다. 그래도 조금이라도 더 잘 보이는 쪽에 자리를 잡고, 다이어리와 볼펜도 야심차게 테이블 위에 올려두었다.

30명 정도의 정원이 다 모이고 박웅현 저자의 북토크는 시작되었다. 박웅현 저자는 신작인 [문장과 순간]에 대한 이야기를 전해왔다. 그의 이야기를 듣는 내내 불쑥 튀어나오는 .벅참.

'내가 이 자리에 있다니.',
'내가 여기서 박웅현을 보고 있다니.'

신작에 대한 이야기가 끝나고, 질의응답 시간이 왔다. 많은 사람들이 손을 들고 박웅현의 책에 대해 이것저것 물어보았다. 학창 시절 발표나 질문을 하려고 손 든 적이 한 번도 없던 내가 손을 번쩍 들었다. 내가 저 사람과 한마디 대화도 하지 못하고 이 순간을 그냥 보낸다면, 평생 후회할 것 같다는 생각이 들었기 때문이다.

"[여덟 단어]에서 순간에 의미를 부여하면 그 순간이 꽃이 되어 돌아온다는 문장은 정말 감명 깊었어요. 그런 문장은 어떻게 하면 쓸 수 있나요?"

"정말 귀여운 질문이네요. 그런 모든 것은 책에서 나옵니다."

그런 생각들은 책을 읽고 또 읽다 보면, 어느새 나온다고 했다.
예정되어 있던 북토크 시간이 마무리되고, 함께 사진도 찍고, 사인도 받아 집으로 돌아오는 길, 눈물을 참았다.

그리고 집으로 돌아와 나를 기다리고 있던 신랑을 보자마자, 엉엉 아이처럼 울어댔다.
그때를 생각하면 지금도 눈물이 난다.

2년 전과는 완전히 달라진 나의 삶에 대한 벅찬 마음이 밀려왔다. 그때는 나 스스로 달라지고 있다는 느낌을 받을 때다. 읽었던 책들이 내가 가야 하는 방향으로 이끌어주었고 책에서 책으로 이어지는 내 하루는, 난생처음 혼자 그 자리에 가서 앉아 있는 나를 세상에서 가장 멋진 사람으로 만들어주었다.

그런 기분을 맛보고 와서 엉엉 울고 있는 나에게 우리 신랑이,

"박웅현이 생각보다 잘 생겼더나? 울긴 왜 우노?"
"머라카노? 와 이카노?"
박웅현 저자의 [여덟 단어]에 나오는 "순간에 의미를

두면, 이 순간이 나중에 꽃으로 돌아온다."는 한 문장은 저자의 북토크까지 가게 하는 힘을 불어 넣어주었다.

[여덟 단어]가 나에게 말하는 매 순간 의미를 두라는 이야기는, 하고잡이 인생 2년 차에게 매일 새롭게 삶을 대하는 태도를 알려주었다. 그리고 나는 실천한다.

'이 모든 일들이 모여서 언젠가는 나에게 꽃이 되어 돌아올 거야.'

기분이 좋지 않거나, 힘들 때 이만큼 효능 좋은 부적도 찾기 힘들 것이다. 힘이 들 때 꽃이 되어 돌아올 그 순간을 생각하면 마음이 편해지고 한다.

물론, 꽃도 의미도 다 생각나지 않을 만큼 자주 화가 날 때도 많다.

한국방송통신대학
국어국문학과
202310-000000
국어국문학과대구/경북지역대학

14. 만학도

"공부를 좀 더 해보는 게 어때요?"

2022년 10월쯤 그림책지도사의 모든 수업이 마무리되고, 향후 일정에 대해 지도 선생님과 대화를 나눈 적이 있다. 대학교를 다시 갈 생각이 전혀 없었던 나에게 선생님께서는 공부를 좀 더 해보는 게 어떠냐는 제안을 주셨다.

"공부를 좀 더 해보는 건 어떤 거예요?"
"대학교나 대학원 공부를 좀 더 해놓으면 나중에 도움이 될 것 같아서 말하는 거예요."

생각해 보지도 않은 제안에 자신 없다며 손사래를 치

고 집으로 돌아왔다.

“여보, 그림책 선생님이 내인데 공부를 좀 더 해보는 게 어떠냐는데?”
“어떤 공부?”
“대학교 공부?”
“무슨 과?”
“몰라, 아직 생각 안 해봤는데? 갑자기 뜬금없다. 그 젱?”
“니 결혼 전에 방통대 경제학과도 졸업 못 했는데 괜찮겠나?”
“크크크크, 그건 나랑 안 맞아도 느므 안 맞았잖아.”
“좀 생각해 보자.”

2022년 11월에는 동네 지역아동센터에서 사회복지사 2급 자격증 취득을 위해 실습을 했다. 머릿속에서 떠나지 않는 대학교 진학에 대한 고민을 아동센터에 국어를 가르치러 오시는 선생님께 털어놓았다.

늘 조곤조곤한 어투로 친절로 무장하신 선생님께서는,

“정말 좋은 생각이에요. 생각해 본 과는 있어요?”
“어떤 분이 나중에 취업하기 좋을 거라고 청소년 교육학과가 괜찮다고 하는데, 저는 책을 좀 더 재미있게 읽고 싶어서 국문과에 더 관심이 가요."
"책을 좋아한다면 당연히 국문과지요. 저도 국문과가 더 좋은 것 같은데요."

동시로 등단하신 선생님의 조언은 하고잡이의 열정에 기름을 콸콸 들이부었다.

"여보! 나 결정했어. 방통대 국문과 편입하기로."
"니 괜찮겠나? 이번에는 졸업할 수 있겠나? 졸업할 수 있을 것 같으면 시작해라."
"졸업을 할지 안 할지 내가 우째 아노? 일단 해보고 안 되면 내 길이 아닌갑다 생각하는 거지."
"또 내보고 리포트 써달라고 하지마래이."
"알따. 알따. 1학기 해보고 안되면 과감히 포기해 보께."

29살에 주식을 해보겠다는 부푼 꿈을 안고 방통대 경제학과에 편입한 적이 있다. 당시 남자 친구였던 신랑은 제발 졸업만 하라고 과제도 대신 써주곤 했다. 3학년을 2년간 하고도 4학년으로 올라가지 못한 전적이 있는 내게, 이번에도 졸업만 하라는 신랑 말을 응원 삼아 과감히 지원했다.

"대신 부모님께 말은 하지 말자. 졸업 못 하면 좀 그렇잖아.”

그렇게 나는 2023년 3월 방통대 국문학과 편입생이 되었다. 오프라인으로 수업하는 일반 대학교에 편입하기는 돈이 많이 들고, 시간 제약도 많지만, 온라인 수업을 하는 방통대는 등록금도 저렴하고 시간 제약이 없다는 게 큰 장점이다. 큰 장점을 등에 업고 시작한 공부는 4월까지는 아주 수월했다. 20여 년 만에 출석해서 듣는 오프라인 수업은 진심으로 흥미진진하고 재미있었다. 거기까진 좋았다. 문제는 다음부터다.

4월 중순부터 시작한 과제물에 ‘이 길도 내 길이 아니구나.’라는 생각이 들 정도였다. 주어진 소설을 읽고 제 3자 시점에서 다시 써보라는 과제는 목이 턱턱 막혔다.

‘이 또한 지나가리라.’

는 생각으로 버티면서 과제를 해 나갔다. 버틴다고는 하지만, 친구도 안 만나고 정말 온 힘을 다해 열심히 했다. 다행히 결과가 좋았다.
‘역시 신은 아직 나를 버리지 않았어.’

그렇게 온 힘을 다해 버티면서 1년을 보내고, 지금은 4학년이다. 10여 년 전에 그토록 되고 싶던 4학년이 되었다. 아직 졸업 전이지만 진심으로 감개무량하다. 방통대 국문학과가 정말 좋았던 것은 학과를 다니지 않았더라면 절대 보지 않았을 근현대 소설, 시, 신화의 세계 등을 많이 접할 기회가 주어진다는 것이다.

폭 넓어진 나의 책 세계는 더 깊어졌고, 더 많은 작가를 알게 해주어 하고잡이 삶의 질을 다 고급지고, 풍성하게 해준 아주 고마운 존재다.

책 세계가 깊어진 것은 더없이 좋으나, 그들의 글을 이해하려고 하면 아직도 머리가 아프다. 그들은 너무 멀리, 내가 아무리 손을 뻗어도 닿지 않는 곳에 있는 것 같다. 그래서 나는 굳이 이해하려 하지 않고 그냥 읽히는 데로 일단 받아들이기로 한다.

나에게는 스위치가 있다.
언제든 누를 수 있는,
단지 꺼내보지 않았을 뿐.

- 박주연 선생님과 글쓰기 수업에서 -

15. 나의 첫 글쓰기 선생님

2023년 10월 12일 목요일, 2.28학생기념 도서관에서 글쓰기 강좌를 수강하고 글을 쓰면 독립출판을 해주는 강좌가 열렸다.

하고잡이 인생에서 가장 마지막까지 함께 걸어가고 싶은 동반자는 글이고, 교보문고 검색 PC에 내 이름의 책이 검색되는 것은 하고잡이 인생의 꿈이다. 꿈의 실현에 한 발짝 더 다가서기 위해서 신청 시간이 되자마자 바로, 1등으로 신청했다

.

나는 일단 시작부터 하고 보는 하고잡이니까.

가을 햇살이 정통으로 들어오는 3층 강의실에 들어가자, [어서 오세요, 휴남동 서점입니다]에서 소개된 영국그룹 킨의 2004년 앨범의 수록곡인 <Somewhere Only We Know>노래가 흘러나왔다.

“안녕하세요.”

뻘쭘한 마음을 담아 인사를 하고, 열심히 써보겠다는 비장한 마음으로 두 번째 자리에 앉았다. 그것이 나의 첫 글쓰기 선생님과의 첫 만남이다.

생각과는 달랐던 선생님의 이미지.
나이가 좀 있으시고, 글을 쓰는 사람을 연상하면 으레 생각나는 예술적인 느낌을 풍기는 그런 선생님이라고 상상했는데, 전혀 아니었다.
조금은 짧게 자른 머리 스타일과 약간은 쑥스러움이 느껴지는 분위기를 가진 선생님이었다.
그리고 뜬금없이 중학교 시절의 우리가 생각났다.

늘 그렇듯 첫 시간에는 이 자리까지 오게 된 동기에 대해 발표한다. 일단 내 이름이 걸린 책을 내고 싶어 비장한 각오로 오긴 왔는데, 이런 자기소개, 발표들은 언제나 부끄럽고 뻘쭘하다.

'이런 거 절대 안 시키게 생기셨는데, 어김없이 시키시는구나.'

글이 처음 생기게 된 이유부터 글을 쓴 자세와, 머릿속에서 쓰고 싶은 글이 생각나게 해주던 선생님은 요상한 재주를 가졌다. 무턱대고 일단 신청부터 했던 수업을 듣는 2달간은 순간순간 문장과 쓰고 싶은 글감이 머릿속을 둥둥 떠다니고 있었다. 내면에 잠잠하게 가라앉아 있어 손에 잡히지 않던 무언가가 수면 위로 올라와 자꾸 생각하게 만든다. 그 생각들이 한 번 꼬리를 물기 시작하면 멈출 수가 없었다.

"엄마, 아픈 아빠 밑에서 우리 키운다고 고생 많았제? 내가 말을 못해서 그렇지 항상 엄마한테 고맙다고 생각한다. 알제? 엄마가 오빠야랑 내 안 버리고 아픈 아빠 비유 맞추고 살아줘서 내가 잘 클 수 있었다. 진짜로 고맙데이. 오래오래 건강해야 돼. 죽지 말고. 내가 앞으로 더 잘할게."

글쓰기 수업 3주 차를 끝내고, 집으로 돌아가는 길에서 엄마에게 전화했다. 쑥스러워서 사십 평생 한 번도 입 밖으로 꺼낸 적이 없던 말이, 지금 당장 하지 않으면 어떻게 될 것만 같은 기분에 사로잡혔다. 쑥스러웠던 그 말을 오늘은 꼭 해야겠다는 생각이 들게끔 용기를 주었던 것은 글쓰기 3주 차 수업이다.
정말 힘든 시간을 마주할 수 있을 때, 내 안에서 끄집어낼 수 있을 때 좋은 글이 나온다고 선생님께서는 말씀하신다.

"저는 그 힘듦과 아직 마주하고 싶지 않아요. 그럴 자신도 없고, 용기도 없거든요. 그걸 꺼내지 못하면 저는 글을 쓸 수 없나요?"

나의 물음에 선생님은 괜찮다고, 쓰는 행위로 치유가 될 수도 있고, 꺼내지 못해도 글은 쓸 수 있다고 말씀하신다. 그리고 그 힘듦이 생각나 수업 시간에 주책맞게 또 훌쩍였다. 그리고 다시는 후회하지 않기 위해 엄마에게 내 마음을 전할 수 있었다. 아직 그 힘듦과 마주할 용기는 없지만.

어느덧 낙엽이 소리 없이 떨어지는 가을은 막바지에 접어들었고, 우리의 글쓰기 수업도 막바지임을 알리는 11월 23일 7주 차 수업 날이 되었다.

그날의 선생님은 라디오에 노래 신청 사연을 쓰는 것처럼 짧은 글을 써보라고 하신다.
지금 가장 생각나는 노래로.

선생님의 얼굴을 보니, OPPA오빠들의 <그대야 미안해>가 생각이 났고, 그 노래와 함께 늘 꼬리표처럼 붙어 다니는 우리의 중학교 시절이 떠올랐다. <그대야 미안해>는 어렸던 우리들의 노래방 18번 곡이기 때문이다. 그 수업이 끝나자마자, 또 친구들에게 전화를 돌렸다. 안부를 전하고 노래방 가자는 말도 함께.

글쓰기 수업을 듣는 8주는 내 인생과 마주해 볼 수 있는 시간이었다. 비록 도서관의 급작스러운 사정으로 책을 내지는 못했지만, 2023년 가장 최고의 일이 무엇이냐고 묻는다면 나의 첫 글쓰기 선생님을 만난 것이라고 자신 있게 말할 수 있다.

한 강의실에서 같은 선생님께 수업을 듣고, 함께 8주라는 시간을 보낸 사람들은 모두 다른 생각들로 각자 자신만의 시간을 채웠을 것이다. 모두 다른 형태로.

하고잡이에게도 하기 힘든 말을 전할 수 있는 용기를 주고 어린 시절을 회상하고, 인생을 마주할 수 있는 귀한 기회를 준 그녀는 나에게, 최고의 글쓰기 선생님이었다.

마음이 어지럽거나, 마음대로 일이 잘 풀리지 않는다면 글을 써보는 건 어떠냐고 추천해 주고 싶다. 일단 써야겠다고 마음먹은 순간 생각들은 머릿속을 헤집고 다니고, 글을 쓰려고 자리에 앉는 순간 첫 문장만 무사히 적고 나면 그다음 문장들은 손이 알아서 척척 적어주는 진기한 경험도 할 수 있다. 그리고 내 글을 한 번 더 읽어보면 어느새 마음의 어지러움은 수면 아래로 가라앉아 있다.

이제 내 안에 존재하는지도 몰랐던 스위치를 한 번 눌러보는 건, 어떨까.

선생님 덕분에 김영하작가의 책 [작별인사]도 읽어보고, [작별인사]를 읽어본 덕분에 김영하작가님도 직접 보고, 사인도 받을 수 있어서 정말 행복했어요.
박주연선생님, 고맙습니다. 역시 선생님 최고.

새벽 냄새, 설렘, 한계, 개운함, 두근거림, 성취감.
내가 생각하는 새벽수영이다.

- 핑크금요일 -

16. 새벽수영

수영장 가는 길에서 나는
새벽 냄새,
주차를 하고 수영장으로 들어가는
길의 설렘,
수영을 하고 있을 때 부딪히는
한계,
수영을 마치고 나와 주차장으로 걸어갈 때의
개운함,
운전석에 앉으면 비로소 느껴지는 허벅지의
두근거림,
수영장에서 집으로 돌아가는 차 안 가득 퍼져 있는
성취감.

하루의 시작을 알리는 해가 뜨기 전에 도로 위를 달리는 꽉 막힌 차 안에서도 맡을 수 있는 새벽 냄새, 수영하고 나와 주차장으로 갈 때만 맡을 수 있는 아침 냄새, 내가 가장 좋아하는 냄새다. 그 냄새에 취한 채 수영을 마치고 차에 타면, 차 안 가득 빠르게 퍼지는 성취감.

집으로 돌아오는 차 안은 온통 내 세상으로 채워진다. 내가 좋아하는 노래, 오늘도 해냈다는 성취감이라는 요정이, 오늘도 분명히 신나는 하루가 될 거라고 나에게 주문을 걸어준다.

둘째 아이가 첫돌을 맞이하면서 모유 수유를 끝냈다. 단유를 계획하고 혼자만의 시간이 절실해질 때, 갑자기 수영이 배우고 싶어졌다. 혹시나 우리 아이가 물에 빠지면 지켜보고 있지만은 않겠다는 생각이 머릿속을 가득 채우자, 수영이 더 간절해졌다.

누구에게나 그렇듯, 돌쟁이 아이가 있는 엄마에게 개인 시간은 허락되지 않는다. 엄마와 아이는 한 몸과 마찬가지다.

수영은 언제 갈 수 있지? 자유부인이 되는 유일한 시간, 아이가 밤잠을 잘 때다. 다행히 둘째는 몇 날 며칠을 울다 지치게 만들어 재운 수면 교육으로 새벽에 깨지 않는 아이가 되어 있었고, 우리 가족은 신랑, 첫째, 둘째, 나 모두 네 명이 함께 잠을 자기 때문에 새벽에 혼자 살짝 나와 운동을 가는 것이 가능했다. 신랑의 동의를 얻어낸 새벽 수영은 그렇게 시작되었다.

2018년 1월 3일. 새벽 6시 30분. 나의 첫 수영 강습이다.
벽 잡고 발차기를 시작으로 물에 뜨는 것을 배운다. 첫 3달은 하루하루가 고비였다. '끊을까 말까. 진도 못 따라가겠는데'라는 생각이 나를 지배할 때마다 버티게 해준 것은, 하루 중 오롯이 혼자일 수 있는 소중한 시간을 포기할 수 없었고, 수영 모자의 방향도 모르고 쓰는 내게, 수영 모자를 바르게 쓸 수 있게 해준 선생님의 애정 어린 가르침 덕분이다.

새벽 수영장에는 그 시간만이 가질 수 있는 새벽의 활기도 있고, 직장인도, 어르신들도 많다. 수업 시작 전 유아 풀에서 몸을 풀면서 어르신들을 보고 있으면 마치 아이들을 보는 듯 미소가 절로 난다. 수영장 안에서 그분들은 마치 어린 시절로 돌아간 듯하다. 물장난을 치고, 매일 다른 주제로 이야기꽃을 피우는 그들이 서로를 부르는 호칭은 주로 '니'다. 그들의 이야기꽃은 수업이 끝난 후 샤워장에서도 이어지고, 몇 분들은 간단한 음식을 싸 와 함께 나누고 집으로 돌아가신다.

그리고 수업 중에는 누구보다 열정 가득한 모습을 보여주시기도 한다. 새벽의 수영장은 마치 '늙음'이 허용되지 않는 공간처럼 느껴진다.

새벽 수영장을 가득 채운 열정들과 함께 수영하고 있으면, 아침에 뜬 빛줄기가 우리를 따라온다. 연극 무대 중앙을 하이라이트 조명이 비추듯, 햇빛은 수영장 창문을 넘어와 자유형 하는 우리를 신비로운 빛 속에 가둔다. 연극 무대 중앙의 주인공처럼 햇빛의 하이라이트를 받으며 수영하는 나는, 마이클 펠프스가 부럽지 않은 내 인생의 당당한 주인공이 되는 멋진 순간이다.

두 시간 삼십 분, 오롯이 혼자만의 시간을 보내고 성취감으로 무장한 채 아내로서, 엄마로서 집으로 돌아온다. 현관문을 열고, 안방 문을 열면 맡아지는 안정감. 나에게 이런 시간을 가질 수 있게 해 준 잠에서 깨지 않는 신랑도 예뻐 보이고, 나의 기척을 느끼고 깨어나는 아이들은 더없이 사랑스럽다. 잠든 아이의 모습보다 아침에 깨는 아이들의 모습이 더욱 예뻐 보이는 순간이다. 신랑과 아이들에게 아침부터 내가 느끼고 온 새벽 수영의 사랑을 온전히 나누어 주고 우리 가족은 새로운 아침을 시작한다.

이 모든 것들이 하고잡이가 새벽 수영을 하는 이유다.

혹시라도 우리 아이가 물에 빠지면 지켜보고만 있지 않겠다는 일념은 무조건 신고부터 해야 한다고 바뀌었고, 수년간 실내 수영장에서만 특화된 수영 실력은 다른 누구를 구조할 수 없다. 나 혼자 빠져나올 수 있으면 다행이다.

우리 아이를 내가 구할 수 없음을 느끼고, 아이가 스스로를 구할 수 있도록 방학 때면 우리는 함께 새벽 수영을 간다.

누군가 '나'를 떠올린다면 나는 선물 같은 사람으로
기억되고 싶다.

- 핑크금요일 -

17. 선물 같은 사람

'선물'은 행복이다. 내가 주는 것도, 내가 받는 것도.

나는 내가 '선물'을 주는 것을 더 좋아한다. 선물을 준비하면서 상대방이 좋아할 모습을 상상하는 게 그 무엇보다 큰 기쁨을 준다.
누군가가 무심결에 '나'를 떠올렸을 때 한 명이라도 나를 '선물 같은 사람'이라고 기억해 주길 바란다. 값비싼 선물을 주는 그런 사람이 아닌, 온 마음을 다해 선물을 줄 수 있는 넉넉한 사람. 그런 사람이 내가 바라는 삶이다.

나에겐 중학교 시절을 함께 한 예쁜 친구가 있다. 스무 살 중반의 나이가 된 나의 소중하고 예쁜 친구는,

어느 날 세상의 중심이었던 우리 동네 조개구이 사장님에게 반했다. 박해일을 닮은 외모에 키도 크고 날씬한 그 분은, 매일 가는 우리에게 삼십 대 초반이라고 자신을 소개했다. 처음에는 여자 친구가 없다던 사장님에게 결혼할 여자가 있다는 것을 알게 된 친구가 밤 12시에 술주정 하며 나오라는 호출에도 당연하다는 듯 나갔다. 그 친구는 그만큼 나에게 소중한 친구다.

중학교 2학년. 15살, 쉬는 시간 종이 울리면 기다렸다는 듯이 교실에서 튀어나와 복도에서 삼삼오오 어울려 놀던 시절.
15살 내 생일날이었다. 2학년 2반이었던 나는, 그날도 어김없이 쉬는 시간을 알리는 종이 울리자, 복도로 뛰쳐나와 친구들이 많이 있었던 2학년 8반으로 갔다. 뛰쳐 가는 중에 6반 복도에서, 초코파이 위에 요거트를 올린 케이크를 들고 친한 친구들이 노래를 부르면서 나에게 다가왔다.

“왜 태어났니, 왜 태어났니, 공부도 못하는 게 왜 태어났니”

여자아이들 특유의 깔깔대는 소리와 함께 쉬는 시간 10분이 어떻게 흘러갔는지 기억이 나지 않는다. 짧은 10분의 시간이 지나고, 다음 쉬는 시간에는 초코파이 케이크를 준비해 준 내 예쁜 친구가 내가 당시 가장 좋아했던 '야채타임' 과자 한 박스를 선물로 내밀었다. '야채타임'은 과자 봉지 안에 들어있는 케첩과 함께 먹으면 정말 꿀맛이다. 노상 그 과자만 먹어대는 나를 보고 예쁜 친구가 준비했단다. 우리는 학교 수업이 모두 끝나고 교실에서 '야채타임' 잔치를 벌였다. 그날의 일은 나에게 그 무엇과 바꿀 수 없는 소중한 추억이 되었고, 그날부터 내 생일은 모두가 아는 special_day가 되었다.

그 예쁜 친구를 떠올리면 '선물 같은 사람'이 생각난다. 그때부터였던 것 같다. 누군가에게 선물 할 때는 아주 정성을 들여 포장하고, 받는 사람이 기뻐하는 모습을 상상하는 것이 소소한 즐거움이 된 것이.

그 친구 덕분에 나는 편의점 커피에도 '고마운 마음'을 담으면 기꺼이 리본을 묶는 정성을 게을리하지 않는 사람이 되었다. 받으면 나눌 줄 아는 사람이 되었고, 상대방의 고운 마음을 더욱 크게 기뻐할 줄 아는 사람이 되어 갔다. 어린 시절, 나의 예쁜 친구의 고운 마음이 없었더라면, 선물하는 것의 진정한 기쁨도 알지 못했을 거라고 장담할 수 있다.

예쁜 친구가 어린 나에게 선물한 큰마음은 30년이 지

난 지금도 잊히지 않는다. 마치 어제의 일처럼 생생한 기억으로 자리 잡은 추억이 있다는 축복받은 일이다.

나도 누군가에는 꼭 잊히지 않는 추억을 선물하는 사람이 되고 싶다.

"나에게 소중한 추억을 준 너에게 늘 고마워하고 있어. 그러니까 우리 노래방 가자! <그대야 미안해> 부르러! 내가 쏜다!"

굳게 잡은 두 손 놓지 않기로 약속
마지막까지도 꼭 함께하기로
그 마지막의 마지막의 마지막까지도
너에게 청혼하지 않을 이유를 못 찾았어.
내 일상, 내 모든 하루는 너라서
그댄 오늘도 정말 예쁘네요
빛나줘 곁에서 부디 영원토록

- 이무진 < 너에게 청혼하지 않을 이유를 못 찾았어 > -

18. 하고잡이의 사랑법

예쁘게 화장하고 신경 써서 옷을 입고, 늘 손을 꼭 잡고 다니는 중년 커플들을 보면 참으로 멋져 보인다. 그런 커플을 보면 '불륜일까. 부부일까'가 궁금해지면서 예리해지고 싶은 눈은 자꾸만 그들을 힐끔힐끔 쳐다본다. 당연하게 내 눈은 그들이 불륜인지 아닌지 알 수 없다. 그러나 마음속으로 이미 '불륜이다'라고 단정 짓는다. 그리고 다짐한다.

'나도 나중에 결혼하면 저렇게 예쁘게 다니는 불륜처럼 살아야지.'

3년 연애 끝에, 결혼에 골인했다. 내가 불도저처럼 밀어붙이고, 신랑은 구렁이 등에 올라 담 타고 넘듯 한

결혼이, 벌써 11주년을 맞이했다.

우리는 여전하다. 늘 손을 잡고 다니고, 사랑을 이야기한다. 사람들은 나를 보면 아직까지 신랑이 그렇게 좋냐고, 콩깍지가 덜 벗겨졌다고 웃으면서 이야기하기도 하고, 시댁에서 받을 유산이 맞냐는 정말 듣기 싫은 이야기를 하는 사람도 꽤 있다. 처음 들었을 때 충격으로 다가왔던 그런 불쾌한 이야기가 이제는 그러려니 하는 내공도 생겼다.

감사하게도 늦지 않게 우리에게 찾아와 준 첫째를 임신하고 6개월 차에 접어들었을 때였다. 평소 지병이 있는 아빠가 쓰러지셔서 경대병원에 입원하시는 일이 일어났다. 의식은 있었지만, 몸을 제대로 가누지 못하셨던 아빠의 뒤처리는 엄마나 친정 오빠 몫이었다.

하루는 신랑과 내가 아빠 곁을 지키기로 하고, 엄마와 오빠가 집에 잠시 다니러 갔다. 마침 그때 아빠는, 아빠도 모르는 사이에 실수를 하셨고, 우리 신랑은 당연하다는 듯 아빠의 대, 소변을 덤덤하게 치웠다. 너는 비위가 약하니까 나가 있으라는 말과 함께.
그날의 고마움은 내 마음 깊은 곳에 박혀 잊히지 않는다. 집에 돌아와서도 신랑에게 고맙다고, 당신이 정말 대단하다고, 나도 시부모님께 뒤처리까지는 못하겠지만, 정말 잘하겠다고 맹세했다. 그 일이 있고 난 뒤부터 나는 우리 신랑이 더 좋아졌다.

한 번씩 찾아오는 힘듦과 시댁에서 받는 서러움도 그날의 일로 상쇄시켜 버린다. 그 누가 우리 아빠에게 그렇게 잘할 수 있을까를 생각하면 못 참을 일이 없다.

물론 그날의 일로도 못 참을 일이 생길 때도 있긴 하다. 그럼, 서로 말을 하지 않고 나는 눈물로 밤을 지새운다. 이틀을 못 참고 결국은 답답한 내가 먼저 문자를 보낸다.

- 나는 이렇고 저렇고 해서 화가 났어. 그러니까 여봉이 먼저 사과해 줘. -

나는 절대 먼저 사과는 하지 않는다. 먼저 연락만 해볼 뿐. 그렇게 매번 사과를 받아낸다. 하지만 늘 뭔가 진 것 같은 기분이 든다. 그래도 괜찮다. 우리는 다시 사이좋게 지내기로 했으니까.

그 무엇보다 가장 크고 더 큰, 우리 신랑의 최고 장점은 아침밥을 먹지 않는다. 아침에 밥 먹으면 화장실 가고 싶다고, 결혼 전에도 안 먹고 다녔다고. 게다가 반찬 투정도 하지 않는다. 아무거나 잘 먹고, 내가 해주는 음식이 맛이 없어도 끝까지 먹어준다.

이 모든 것들이 우리가 사이좋게 지낼 수 있는 이유다.

매일아침 고데기 하고, 화장하고, 가장 귀찮은 마스카라도 하고, 나름대로 신경 써서 옷을 입고, 3분 거리에 있는 사무실로 우리는 손을 잡고 함께 출근한다. 점심시간이 되면 또다시 둘이 손잡고 식당이나 집으로 가 점심을 먹는다. 그리고 또다시 사무실로 나간다. 아이들이 하교할 시간에 나는 퇴근해서 아이들을 돌보고, 신랑은 오후 6시 일을 마치고 집으로 돌아온다. 우리의 반복되는 일상이다. 세 잎 클로버처럼 많은 행복한 일상에서 우리는 네잎클로버를 찾는 행운도 마다하지 않는다.

나에게도 한 번씩 권태가 찾아온다. 그럴 때 면 당장 도서관으로 달려가 로맨스 소설을 찾아보거나, 웹소설을 뒤적거린다. 주인공들의 꽁냥꽁냥하는 모습을 읽으면 '연애'하고 싶은 마음이 톡톡 터지기도 하니까.

로맨스 소설을 읽었는데도 권태에서 헤어 나오지 못할 때 최고 좋은 방법은 바로, 외식이다. 외식만큼 좋은 게 없다. 외식하면서 먹는 맥주 한잔은 늘 나를 웃음 짓게 하고, 마음의 여유까지 생기게 하는 마법이다.

늘 잡고 다니는 손을 놓는 순간, 우리는 사라지고 너와 나의 인생이 남을 것 같은 느낌이다. 우리가 사라진 너와 나는 어떤 인생일까.

너와 나에게도 자연스럽게 '늙음'이 찾아오겠지. 너가 없다면, 그때 내 등은 누가 긁어줄까. '아픔'이 찾아 와 나오는 기침 소리는 누가 들어줄까. 갑작스럽게 '외로움'이 찾아오면 누가 나를 위로해 줄까. 누가 너처럼 내 이야기에 그토록 귀를 쫑긋 세워 들어줄 수 있을까. 이 모든 건 너와 내가, 우리이기 때문에 걱정할 필요 없는 것들이다. 그리고 우리가 한결같은 모습으로 서로를 사랑할 수 있는 비결이기도 하다.

이것이 바로 하고잡이의 사랑법이다.

"오늘 내가 여봉을 얼마나 사랑하는지 말했으니까 외식 가능하나?"

"이 소설엔 제가 좋아하는 것들이 가득해요. 책, 동네 서점, 책에서 읽는 좋은 문구, 생각, 성찰, 배려와 친절, 거리를 지킬 줄 아는 사람들끼리의 우정과 느슨한 연대, 성장, 진솔하고 깊이 있는 대화, 그리고 좋은 사람들."

-황보름(2022), 어서오세요 휴남동서점입니다, 클레이하우스, 작가의 말-

19. 나의 영주

문을 열기엔 느지막한 오후 1시,
누구나 들어오기 쉽게 만든 자동문이 스르륵 열리고, 싱그러운 향기가 풍겨오는 세계로 설렘을 가득 품은 발을 내디딘다. 가수 이무진의 <잠깐 시간 될까>를 선곡하고, 밤새 책 사이에, 어제의 우리가 있었던 공간에 내려앉은 먼지를 털어낸다. 모든 정리를 끝내고 휴남동 서점의 민준처럼 커피를 내린다. 비로소, 창 너머 세상이 가장 잘 보이는 나의 공간에 앉는다. 한 잔의 커피와 내가 가장 좋아하는 책을 앞에 두고, 오늘 펼쳐질 새로운 일들을 온몸으로 받아들일 준비를 한다.

오십 대가 된 하고잡이의 일상을 매일 상상한다.

2022년 11월, 나를 꿈꾸게 한 책이 있다.
지인의 추천으로 알게 된 이 책은, 읽는 내내 책 한 장 넘기기가 아까웠다. 다 읽고 나면 나의 영주가 사라져 버릴까 봐.

몇 날 며칠을 아끼고 아껴가며 책 속으로 빠져들었다. 책을 펼치면 나는 영주의 서점으로 들어간다. 책 속 공간 위에 발을 딛고 서있는 듯하다. 영주가 아침 서점 문을 열고 들어가면 나는 투명인간이 되어 따라 들어간다. 더운 여름의 습한 냄새와 밤사이 배인 책 냄새가 내 코의 감각을 깨우고, 민준이 커피를 내릴 때면 어디선가 은은하게 커피 향이 풍기는 것 같다. 영주를 마음에 둔 작가 승우를 열렬히 응원하는 나는 그들을 나의 삶 깊숙이 끌어드렸다.

읽을 때마다 휴남동 서점으로 순간 이동을 하는 것 같은 느낌을 주는 황보름 작가의 [어서오세요, 휴남동 서점입니다]의 이야기이다. 휴남동이라는 동네에서 서점을 운영하는 영주와 바리스타 민준, 사람 좋은 민철 엄마 희주, 로스팅 업체 대표 지미, 뜨개질로 마음을 다스리는 정서, 사는 게 재미없는 고등학생 민철, 매력적인 승우까지 다들 자신만의 사연을 들고 서점으로 온다. 그들은 영주의 서점 안에서 인연을 맺고 각자의 삶을 이야기한다.

휴남동 서점의 사람들은 자연스럽게 내 삶으로 들어와 나만의 지인이 되었다. 그리고 '영주'는 오십 대가 된 내가 꿈꾸는 일상이 되었다.

3년간 독서지도를 공부하면서, 잔잔한 마음속에 조그만 소망의 씨앗이 뿌려졌다. 언젠가는 내가 책으로부터 받은 꿈, 환상, 설레는 마음, 나를 변화시키는 한 것들을 다른 사람들에게 퍼트려야겠다는 소망의 씨앗이.
그 씨앗은 내 마음 깊은 곳에 뿌려져, 점점 싹을 틔우기 시작했다. 마치 민들레 홀씨처럼,

민들레 홀씨는 그저 바람을 타고 앉은 곳에서 꽃을 피워낸다. 돌 틈 사이에도, 나무 옆에도, 시멘트벽 사이를 뚫고, 꿋꿋하게 잘도 꽃을 피운다. 그렇게 예쁘게 핀 꽃으로 내 마음을 툭 건드려놓고 자신은 아무것도 모른다는 듯, 홀씨가 되어 바람을 타고 다른 이의 마음을 톡톡 건드리러 간다.

내 마음을 툭 건드린 민들레 덕분에, 나도 누구에게나 책으로 꽃을 피워낼 수 있는 사람이 되고 싶다는 홀씨가 내 안에서, 늘 그렇듯 아무렇지 않게 뿌리를 내렸다.

생각만 이리저리 떠다니고, 손에 잡히지 않던 나의 홀

씨는 '영주'를 만나면서 영양제를 꽂은 것처럼 명확해졌다. 사십 대에 열심히 돈을 벌어 오십 대가 됐을 때, '영주'처럼 나의 홀씨를 뿌릴 책방을 열어야지. 내 공간에서 지금까지 쌓아온 것들을 마음껏, 있는 대로 모두 뿌려대야지.

4년 전 도서관 수업에서 그림책을 만나지 않았다면, 그림책이 역사책을 만날 수 있게 해주지 않았다면, 역사책이 인문학책을 만날 수 있게 해주지 않았다면, 인문학책이 에세이를 만날 수 있게 해주지 않았더라면, 책이 책으로 이어지는 세상을 보지 못했다면, 나는 하고잡이 삶을 알지 못했을 것이다.

책이 보여주는 색다른 세상에 한 발을 살짝 넣고 빼고를 반복하고, 늘 다른 공간으로 신나게 다녔다. 새로운 책을 읽을 때마다 나의 내일 아침은 새로워진다. 앞으로 계속 새로워질 내 세상을 기대하면서 평생 하고잡이로 살아가고 싶다.

아직 내 안에 나도 모르게 존재하고 있는 스위치를 켜지 않았다면 이번 기회에 한 번 켜보는 건 어떨까. 생각보다 훨씬 재미있고, 재미있어지면 그 길은 어쩌면 쉬운 길일 수도 있으니까.

그래서 작가님, 영주랑 승우랑 다음 이야기는 어떻게 되나요? 책방이야기도 정말 재미있었는데, 영주랑 승우 이야기는 더 재미있어요. 그 둘만 따로 번외로 더 써주시면 안되나요?

- epilog -

나의 첫 번째 책이 될 글을 한 번 퇴고한 후, 샤워를 하면서 머릿속에는 에필로그에 관한 글감이 둥둥 떠다닌다.

"그래, 이 말들을 끝맺음 말로 써야겠다."

샤워를 끝내고, 커피 한잔 준비해서 다시 앉았다.

'내가 아까 무슨 생각을 했더라..내가 뭘 쓰면 좋겠다고 생각했지....'

아이고, 기억이 나지 않는다. 기억나지 않는 걸 보니 그 말들은 여기서 쓸 필요가 없는 말이었나 보다. 필요가 있었더라면 생각났겠지. 이런 몹쓸 기억력.

이번 글을 쓰면서 '기록'의 중요성을 다시금 뼈저리게 느꼈다. 블로그 글을 뒤지고, 조각나 있는 글들을 모으고, 메모장을 펼치고, 일기를 뒤적이고.
순간의 짧은 생각을 글들이 모여 이렇게 근사해 보이는 책이 만들어지다니. 역시 하고잡이 인생은 늘 새롭고 재미있다.

많은 책에서 사람들은 자신이 생각하는 대로 삶의 방향이 열린다고 이야기한다. 내가 직접 겪어보니 그 말은 참이다. 하나씩 하나씩 하고 싶은 일을 무작정 시작해보니, 성과가 보이는 일이 생기기 시작했다.

그림책 공부를 시작할 때, 도서관 수업하던 선생님이 멋져 보여서 나도 '도서관에서 수업하는 사람이 되고 싶다.'는 생각했다. 어느새 짧지만, 도서관에서 아이들에게 수업을 하고 있는 나를 만났다.

"엄마는 교보문고에서 검색하면 나오는 그런 작가가 되고 싶어."

교보문고만 가면 아이들에게 입버릇처럼 하는 말이다. 이번에는 도서관 수업의 하나로 출판하는 독립출판이지만, 언젠가는 나도 출판사의 투자를 받아 책을 만드는 기획출판을 하고 싶은 큰 꿈이 있다.

언젠가 예쁜 화단이 되어 나에게 올 날을 기대하며, 오늘의 하고잡이는 새로운 일을 기꺼이 도전하는 자세로 꽃처럼 예쁜 하루를 만들어보겠다.

일단 시작부터 하고 뒷일을 생각해 보는 것도 나쁘지 않다. 시작을 해야 뭐라도 이룰 수 있으니까.

하고잡이가 사는 법

발 행 | 2024년 05월 30일
저 자 | 핑크금요일
펴낸이 | 한건희
펴낸곳 | 주식회사 부크크
출판사등록 | 2014.07.15.(제2014-16호)
주 소 | 서울특별시 금천구 가산디지털1로 119 SK트윈타워 A동 305호
전 화 | 1670-8316
이메일 | info@bookk.co.kr

ISBN | 979-11-410-8537-7

www.bookk.co.kr